Vowels - मात्राएँ

अ

आ	=	ा	ा
इ	=	ि	ि
ई	=	ी	ी
उ	=	ु	ु
ऊ	=	ू	ू

Vowels - मात्राएँ

ए	=	े	े	
ऐ	=	ै	ै	
ओ	=	ो	ो	
औ	=	ौ	ौ	
अं	=	ं	ं	
अः	=	ः	ः	

क	+	अ	क	क			
क	+	आ	का	का			
क	+	इ	कि	कि			
क	+	ई	की	की			
क	+	उ	कु	कु			
क	+	ऊ	कू	कू			
क	+	ए	के	के			
क	+	ऐ	कै	कै			
क	+	ओ	को	को			
क	+	औ	कौ	कौ			
क	+	अं	कं	कं			
क	+	अः	कः	कः			

ख	+	अ	ख	ख			
ख	+	आ	खा	खा			
ख	+	इ	खि	खि			
ख	+	ई	खी	खी			
ख	+	उ	खु	खु			
ख	+	ऊ	खू	खू			
ख	+	ए	खे	खे			
ख	+	ऐ	खै	खै			
ख	+	ओ	खो	खो			
ख	+	औ	खौ	खौ			
ख	+	अं	खं	खं			
ख	+	अः	खः	खः			

ग	+	अ	ग	ग			
ग	+	आ	गा	गा			
ग	+	इ	गि	गि			
ग	+	ई	गी	गी			
ग	+	उ	गु	गु			
ग	+	ऊ	गू	गू			
ग	+	ए	गे	गे			
ग	+	ऐ	गै	गै			
ग	+	ओ	गो	गो			
ग	+	औ	गौ	गौ			
ग	+	अं	गं	गं			
ग	+	अः	गः	गः			

घ	+	अ	घ	घ				
घ	+	आ	घा	घा				
घ	+	इ	घि	घि				
घ	+	ई	घी	घी				
घ	+	उ	घु	घु				
घ	+	ऊ	घू	घू				
घ	+	ए	घे	घे				
घ	+	ऐ	घै	घै				
घ	+	ओ	घो	घो				
घ	+	औ	घौ	घौ				
घ	+	अं	घं	घं				
घ	+	अः	घः	घः				

Match letter tio vowel form

मात्राएँ मिलाना

घ	+	ए		की
क	+	ई		गौ
ख	+	आ		घे
ग	+	औ		खा

च	+	अ	च	च				
च	+	आ	चा	चा				
च	+	इ	चि	चि				
च	+	ई	ची	ची				
च	+	उ	चु	चु				
च	+	ऊ	चू	चू				
च	+	ए	चे	चे				
च	+	ऐ	चै	चै				
च	+	ओ	चो	चो				
च	+	औ	चौ	चौ				
च	+	अं	चं	चं				
च	+	अः	चः	चः				

छ	+	अ	छ	छ			
छ	+	आ	छा	छा			
छ	+	इ	छि	छि			
छ	+	ई	छी	छी			
छ	+	उ	छु	छु			
छ	+	ऊ	छू	छू			
छ	+	ए	छे	छे			
छ	+	ऐ	छै	छै			
छ	+	ओ	छो	छो			
छ	+	औ	छौ	छौ			
छ	+	अं	छं	छं			
छ	+	अः	छः	छः			

ज	+	अ	ज	ज				
ज	+	आ	जा	जा				
ज	+	इ	जि	जि				
ज	+	ई	जी	जी				
ज	+	उ	जु	जु				
ज	+	ऊ	जू	जू				
ज	+	ए	जे	जे				
ज	+	ऐ	जै	जै				
ज	+	ओ	जो	जो				
ज	+	औ	जौ	जौ				
ज	+	अं	जं	जं				
ज	+	अः	जः	जः				

झ	+	अ	झ	झ			
झ	+	आ	झा	झा			
झ	+	इ	झि	झि			
झ	+	ई	झी	झी			
झ	+	उ	झु	झु			
झ	+	ऊ	झू	झू			
झ	+	ए	झे	झे			
झ	+	ऐ	झै	झै			
झ	+	ओ	झो	झो			
झ	+	औ	झौ	झौ			
झ	+	अं	झं	झं			
झ	+	अः	झः	झः			

Match letter tio vowel form

मात्राएँ मिलाना

ज	+	अं		झु
च	+	अ		छि
झ	+	उ		जं
छ	+	इ		च

ट	+	अ	ट	ट				
ट	+	आ	टा	टा				
ट	+	इ	टि	टि				
ट	+	ई	टी	टी				
ट	+	उ	टु	टु				
ट	+	ऊ	टू	टू				
ट	+	ए	टे	टे				
ट	+	ऐ	टै	टै				
ट	+	ओ	टो	टो				
ट	+	औ	टौ	टौ				
ट	+	अं	टं	टं				
ट	+	अः	टः	टः				

ठ	+	अ	ठ	ठ				
ठ	+	आ	ठा	ठा				
ठ	+	इ	ठि	ठि				
ठ	+	ई	ठी	ठी				
ठ	+	उ	ठु	ठु				
ठ	+	ऊ	ठू	ठू				
ठ	+	ए	ठे	ठे				
ठ	+	ऐ	ठै	ठै				
ठ	+	ओ	ठो	ठो				
ठ	+	औ	ठौ	ठौ				
ठ	+	अं	ठं	ठं				
ठ	+	अः	ठः	ठः				

ड + अ	ड	ड					
ड + आ	डा	डा					
ड + इ	डि	डि					
ड + ई	डी	डी					
ड + उ	डु	डु					
ड + ऊ	डू	डू					
ड + ए	डे	डे					
ड + ऐ	डै	डै					
ड + ओ	डो	डो					
ड + औ	डौ	डौ					
ड + अं	डं	डं					
ड + अः	डः	डः					

ढ	+	अ	ढ	ढ				
ढ	+	आ	ढा	ढा				
ढ	+	इ	ढि	ढि				
ढ	+	ई	ढी	ढी				
ढ	+	उ	ढु	ढु				
ढ	+	ऊ	ढू	ढू				
ढ	+	ए	ढे	ढे				
ढ	+	ऐ	ढै	ढै				
ढ	+	ओ	ढो	ढो				
ढ	+	औ	ढौ	ढौ				
ढ	+	अं	ढं	ढं				
ढ	+	अः	ढः	ढः				

ण	+	अ	ण	ण			
ण	+	आ	णा	णा			
ण	+	इ	णि	णि			
ण	+	ई	णी	णी			
ण	+	उ	णु	णु			
ण	+	ऊ	णू	णू			
ण	+	ए	णे	णे			
ण	+	ऐ	णै	णै			
ण	+	ओ	णो	णो			
ण	+	औ	णौ	णौ			
ण	+	अं	णं	णं			
ण	+	अः	णः	णः			

Match letter tio vowel form

मात्राएँ मिलाना

ठ + ऐ   टू

ढ + अः   डो

ट + ऊ   ठै

ड + ओ   ढः

त	+	अ	त	त				
त	+	आ	ता	ता				
त	+	इ	ति	ति				
त	+	ई	ती	ती				
त	+	उ	तु	तु				
त	+	ऊ	तू	तू				
त	+	ए	ते	ते				
त	+	ऐ	तै	तै				
त	+	ओ	तो	तो				
त	+	औ	तौ	तौ				
त	+	अं	तं	तं				
त	+	अः	तः	तः				

थ	+	अ	थ	थ			
थ	+	आ	था	था			
थ	+	इ	थि	थि			
थ	+	ई	थी	थी			
थ	+	उ	थु	थु			
थ	+	ऊ	थू	थू			
थ	+	ए	थे	थे			
थ	+	ऐ	थै	थै			
थ	+	ओ	थो	थो			
थ	+	औ	थौ	थौ			
थ	+	अं	थं	थं			
थ	+	अः	थः	थः			

द + अ	द	द					
द + आ	दा	दा					
द + इ	दि	दि					
द + ई	दी	दी					
द + उ	दु	दु					
द + ऊ	दू	दू					
द + ए	दे	दे					
द + ऐ	दै	दै					
द + ओ	दो	दो					
द + औ	दौ	दौ					
द + अं	दं	दं					
द + अः	दः	दः					

ध	+	अ	ध	ध			
ध	+	आ	धा	धा			
ध	+	इ	धि	धि			
ध	+	ई	धी	धी			
ध	+	उ	धु	धु			
ध	+	ऊ	धू	धू			
ध	+	ए	धे	धे			
ध	+	ऐ	धै	धै			
ध	+	ओ	धो	धो			
ध	+	औ	धौ	धौ			
ध	+	अं	धं	धं			
ध	+	अः	धः	धः			

न	+	अ	न	न				
न	+	आ	ना	ना				
न	+	इ	नि	नि				
न	+	ई	नी	नी				
न	+	उ	नु	नु				
न	+	ऊ	नू	नू				
न	+	ए	ने	ने				
न	+	ऐ	नै	नै				
न	+	ओ	नो	नो				
न	+	औ	नौ	नौ				
न	+	अं	नं	नं				
न	+	अः	नः	नः				

Write vowel form

मात्राएँ लिखना

त + उ

थ + इ

द + ओ

ध + आ

न + ए

प	+	अ	प	प			
प	+	आ	पा	पा			
प	+	इ	पि	पि			
प	+	ई	पी	पी			
प	+	उ	पु	पु			
प	+	ऊ	पू	पू			
प	+	ए	पे	पे			
प	+	ऐ	पै	पै			
प	+	ओ	पो	पो			
प	+	औ	पौ	पौ			
प	+	अं	पं	पं			
प	+	अः	पः	पः			

फ	+	अ	फ	फ			
फ	+	आ	फा	फा			
फ	+	इ	फि	फि			
फ	+	ई	फी	फी			
फ	+	उ	फु	फु			
फ	+	ऊ	फू	फू			
फ	+	ए	फे	फे			
फ	+	ऐ	फै	फै			
फ	+	ओ	फो	फो			
फ	+	औ	फौ	फौ			
फ	+	अं	फं	फं			
फ	+	अः	फः	फः			

ब	+	अ	ब	ब				
ब	+	आ	बा	बा				
ब	+	इ	बि	बि				
ब	+	ई	बी	बी				
ब	+	उ	बु	बु				
ब	+	ऊ	बू	बू				
ब	+	ए	बे	बे				
ब	+	ऐ	बै	बै				
ब	+	ओ	बो	बो				
ब	+	औ	बौ	बौ				
ब	+	अं	बं	बं				
ब	+	अः	बः	बः				

भ	+	अ	भ	भ			
भ	+	आ	भा	भा			
भ	+	इ	भि	भि			
भ	+	ई	भी	भी			
भ	+	उ	भु	भु			
भ	+	ऊ	भू	भू			
भ	+	ए	भे	भे			
भ	+	ऐ	भै	भै			
भ	+	ओ	भो	भो			
भ	+	औ	भौ	भौ			
भ	+	अं	भं	भं			
भ	+	अः	भः	भः			

म	+	अ	म	म			
म	+	आ	मा	मा			
म	+	इ	मि	मि			
म	+	ई	मी	मी			
म	+	उ	मु	मु			
म	+	ऊ	मू	मू			
म	+	ए	मे	मे			
म	+	ऐ	मै	मै			
म	+	ओ	मो	मो			
म	+	औ	मौ	मौ			
म	+	अं	मं	मं			
म	+	अः	मः	मः			

Write vowel form

मात्राएँ लिखना

प + ऐ

फ + ऊ

ब + औ

भ + ई

म + अं

य	+	अ	य	य			
य	+	आ	या	या			
य	+	इ	यि	यि			
य	+	ई	यी	यी			
य	+	उ	यु	यु			
य	+	ऊ	यू	यू			
य	+	ए	ये	ये			
य	+	ऐ	यै	यै			
य	+	ओ	यो	यो			
य	+	औ	यौ	यौ			
य	+	अं	यं	यं			
य	+	अः	यः	यः			

र	+	अ	र	र				
र	+	आ	रा	रा				
र	+	इ	रि	रि				
र	+	ई	री	री				
र	+	उ	रु	रु				
र	+	ऊ	रू	रू				
र	+	ए	रे	रे				
र	+	ऐ	रै	रै				
र	+	ओ	रो	रो				
र	+	औ	रौ	रौ				
र	+	अं	रं	रं				
र	+	अः	रः	रः				

ल	+	अ	ल	ल			
ल	+	आ	ला	ला			
ल	+	इ	लि	लि			
ल	+	ई	ली	ली			
ल	+	उ	लु	लु			
ल	+	ऊ	लू	लू			
ल	+	ए	ले	ले			
ल	+	ऐ	लै	लै			
ल	+	ओ	लो	लो			
ल	+	औ	लौ	लौ			
ल	+	अं	लं	लं			
ल	+	अः	लः	लः			

व	+	अ	व	व			
व	+	आ	वा	वा			
व	+	इ	वि	वि			
व	+	ई	वी	वी			
व	+	उ	वु	वु			
व	+	ऊ	वू	वू			
व	+	ए	वे	वे			
व	+	ऐ	वै	वै			
व	+	ओ	वो	वो			
व	+	औ	वौ	वौ			
व	+	अं	वं	वं			
व	+	अः	वः	वः			

Match letter tio vowel form

मात्राएँ मिलाना

लू	व + ए
रा	य + आ
वे	ल + ऊ
य	र + आ

श	+	अ	श	श				
श	+	आ	शा	शा				
श	+	इ	शि	शि				
श	+	ई	शी	शी				
श	+	उ	शु	शु				
श	+	ऊ	शू	शू				
श	+	ए	शे	शे				
श	+	ऐ	शै	शै				
श	+	ओ	शो	शो				
श	+	औ	शौ	शौ				
श	+	अं	शं	शं				
श	+	अः	शः	शः				

ष	+	अ	ष	ष				
ष	+	आ	षा	षा				
ष	+	इ	षि	षि				
ष	+	ई	षी	षी				
ष	+	उ	षु	षु				
ष	+	ऊ	षू	षू				
ष	+	ए	षे	षे				
ष	+	ऐ	षै	षै				
ष	+	ओ	षो	षो				
ष	+	औ	षौ	षौ				
ष	+	अं	षं	षं				
ष	+	अः	षः	षः				

स	+	अ	स	स				
स	+	आ	सा	सा				
स	+	इ	सि	सि				
स	+	ई	सी	सी				
स	+	उ	सु	सु				
स	+	ऊ	सू	सू				
स	+	ए	से	से				
स	+	ऐ	सै	सै				
स	+	ओ	सो	सो				
स	+	औ	सौ	सौ				
स	+	अं	सं	सं				
स	+	अः	सः	सः				

ह	+	अ	ह	ह			
ह	+	आ	हा	हा			
ह	+	इ	हि	हि			
ह	+	ई	ही	ही			
ह	+	उ	हु	हु			
ह	+	ऊ	हू	हू			
ह	+	ए	हे	हे			
ह	+	ऐ	है	है			
ह	+	ओ	हो	हो			
ह	+	औ	हौ	हौ			
ह	+	अं	हं	हं			
ह	+	अः	हः	हः			

Match letter tio vowel form

मात्राएँ मिलाना

शो	ह + ऐ
सी	ष + इ
है	स + ई
षि	श + ओ

क्ष	+	अ	क्ष	क्ष			
क्ष	+	आ	क्षा	क्षा			
क्ष	+	इ	क्षि	क्षि			
क्ष	+	ई	क्षी	क्षी			
क्ष	+	उ	क्षु	क्षु			
क्ष	+	ऊ	क्षू	क्षू			
क्ष	+	ए	क्षे	क्षे			
क्ष	+	ऐ	क्षै	क्षै			
क्ष	+	ओ	क्षो	क्षो			
क्ष	+	औ	क्षौ	क्षौ			
क्ष	+	अं	क्षं	क्षं			
क्ष	+	अः	क्षः	क्षः			

त्र	+	अ	त्र	त्र
त्र	+	आ	त्रा	त्रा
त्र	+	इ	त्रि	त्रि
त्र	+	ई	त्री	त्री
त्र	+	उ	त्रु	त्रु
त्र	+	ऊ	त्रू	त्रू
त्र	+	ए	त्रे	त्रे
त्र	+	ऐ	त्रै	त्रै
त्र	+	ओ	त्रो	त्रो
त्र	+	औ	त्रौ	त्रौ
त्र	+	अं	त्रं	त्रं
त्र	+	अः	त्रः	त्रः

ज्ञ	+	अ	ज्ञ	ज्ञ			
ज्ञ	+	आ	ज्ञा	ज्ञा			
ज्ञ	+	इ	ज्ञि	ज्ञि			
ज्ञ	+	ई	ज्ञी	ज्ञी			
ज्ञ	+	उ	ज्ञु	ज्ञु			
ज्ञ	+	ऊ	ज्ञू	ज्ञू			
ज्ञ	+	ए	ज्ञे	ज्ञे			
ज्ञ	+	ऐ	ज्ञै	ज्ञै			
ज्ञ	+	ओ	ज्ञो	ज्ञो			
ज्ञ	+	औ	ज्ञौ	ज्ञौ			
ज्ञ	+	अं	ज्ञं	ज्ञं			
ज्ञ	+	अः	ज्ञः	ज्ञः			

श्र	+	अ	श्र	श्र			
श्र	+	आ	श्रा	श्रा			
श्र	+	इ	श्रि	श्रि			
श्र	+	ई	श्री	श्री			
श्र	+	उ	श्रु	श्रु			
श्र	+	ऊ	श्रू	श्रू			
श्र	+	ए	श्रे	श्रे			
श्र	+	ऐ	श्रै	श्रै			
श्र	+	ओ	श्रो	श्रो			
श्र	+	औ	श्रौ	श्रौ			
श्र	+	अं	श्रं	श्रं			
श्र	+	अः	श्रः	श्रः			

First Words पहला शब्द

जल	जल	घर	घर
एक	एक	वन	वन
मन	मन	फल	फल
अब	अब	रथ	रथ
कम	कम	डर	डर

Match words with picture

शब्द को चित्र से मिलाएँ

कलम

माला

हाथ

दीप

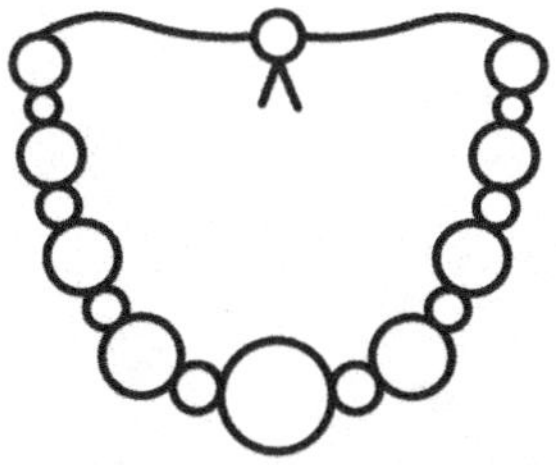

मोर

First Words पहला शब्द

पानी	पानी	गोल	गोल
बाल	बाल	पैसा	पैसा
दिल	दिल	नौका	नौका
फूल	फूल	शोर	शोर
रेल	रेल	धूप	धूप

Made in the USA
Monee, IL
13 September 2026

62973758R00052